Want free goodies?
Email us at study@inspiredtograce.com

 @inspiredtograce

 Inspired To Grace

Shop our other books at
www.inspiredtograce.com

Wholesale distribution through Ingram Content Group
www.ingramcontent.com/publishers/distribution/wholesale

For questions and customer service, email us at
support@inspiredtograce.com

date:

scripture

reflections

prayers

date:

scripture

reflections

prayers

date:

scripture

reflections

prayers

date:

scripture

reflections

prayers

date:

scripture

reflections

prayers

date:

scripture

reflections

prayers

date:

scripture

reflections

prayers

date:

scripture

reflections

prayers

date:

scripture

reflections

prayers

date:

scripture

reflections

prayers

date:

scripture

reflections

prayers

date:

scripture

reflections

prayers

date:

scripture

reflections

prayers

date:

scripture

reflections

prayers

date:

scripture

reflections

prayers

date:

scripture

reflections

prayers

date:

scripture

reflections

prayers

date:

scripture

reflections

prayers

date:

scripture

reflections

prayers

date:

scripture

reflections

prayers

date:

scripture

reflections

prayers

date:

scripture

reflections

prayers

date:

scripture

reflections

prayers

date:

scripture

reflections

prayers

date:

scripture

reflections

prayers

date:

scripture

reflections

prayers

date:

scripture

reflections

prayers

date:

scripture

reflections

prayers

date:

scripture

reflections

prayers

date:

scripture

reflections

prayers

date:

scripture

reflections

prayers

date:

scripture

reflections

prayers

date:

scripture

reflections

prayers

date:

scripture

reflections

prayers

> date:

scripture

reflections

prayers

date:

scripture

reflections

prayers

date:

scripture

reflections

prayers

date:

scripture

reflections

prayers

date:

scripture

reflections

prayers

date:

scripture

reflections

prayers

date:

scripture

reflections

prayers

date:

scripture

reflections

prayers

date:

scripture

reflections

prayers

date:

scripture

reflections

prayers

date:

scripture

reflections

prayers

date:

scripture

reflections

prayers

date:

scripture

reflections

prayers

date:

scripture

reflections

prayers

date:

scripture

reflections

prayers

date:

scripture

reflections

prayers

date:

scripture

reflections

prayers

date:

scripture

reflections

prayers

date:

scripture

reflections

prayers

date:

scripture

reflections

prayers

date:

scripture

reflections

prayers

date:

scripture

reflections

prayers

date:

scripture

reflections

prayers

date:

scripture

reflections

prayers

date:

scripture

reflections

prayers

date:

scripture

reflections

prayers

date:

scripture

reflections

prayers

date:

scripture

reflections

prayers

date:

scripture

reflections

prayers

date:

scripture

reflections

prayers

date:

scripture

reflections

prayers

date:

scripture

reflections

prayers

date:

scripture

reflections

prayers

date:

scripture

reflections

prayers

date:

scripture

reflections

prayers

date:

scripture

reflections

prayers

date:

scripture

reflections

prayers

date:

scripture

reflections

prayers

date:

scripture

reflections

prayers

date:

scripture

reflections

prayers

date:

scripture

reflections

prayers

date:

scripture

reflections

prayers

date:

scripture

reflections

prayers

date:

scripture

reflections

prayers

date:

scripture

reflections

prayers

date:

scripture

reflections

prayers

date:

scripture

reflections

prayers

date:

scripture

reflections

prayers

date:

scripture

reflections

prayers

date:

scripture

reflections

prayers

date:

scripture

reflections

prayers

date:

scripture

reflections

prayers

date:

scripture

reflections

prayers

date:

scripture

reflections

prayers

date:

scripture

reflections

prayers

date:

scripture

reflections

prayers

date:

scripture

reflections

prayers

date:

scripture

reflections

prayers

date:

scripture

reflections

prayers

date:

scripture

reflections

prayers

> date:

scripture

reflections

prayers

date:

scripture

reflections

prayers

date:

scripture

reflections

prayers

date:

scripture

reflections

prayers

date:

scripture

reflections

prayers

date:

scripture

reflections

prayers

date:

scripture

reflections

prayers

date:

scripture

reflections

prayers

date:

scripture

reflections

prayers

date:

scripture

reflections

prayers

date:

scripture

reflections

prayers

date:

scripture

reflections

prayers

Made in the USA
Middletown, DE
28 April 2019